Matthew a'r ESGIDIAU GLAW

Matthew and the Wellington Boots

Cymraeg / English

Esmee Carre

darluniwyd gan / illustrated by

Paul Wrangles

Published by Diglot Books Ltd
26 Tilsworth Road, Beaconsfield, Buckinghamshire, HP9 1TR, UK

2 4 6 8 10 9 7 5 3 1

This book has been typeset in Gill Sans Schoolbook

Series Editor : Alison O'Dornan
Welsh Translation : Huw Tegid

British Library Cataloguing-in-Publication Data:
A catalogue record for this book is available from the British Library

ISBN 978-1-908540-06-5
Revised Edition
(Previously ISBN 978-1-908540-02-7)

www.diglotbooks.com

Dyma Matthew.

This is Matthew.

Mae Matthew yn **dair** oed.

Matthew is **three** years old.

A dyma Diglot.

And this is Diglot.

Draig yw Diglot.

Diglot is a **dragon**.

Mae Matthew a Diglot yn gwneud popeth gyda'i gilydd. Maen nhw'n ffrindiau **gorau**.

Matthew and Diglot do everything together.
They are **best** friends.

Hoff degan Diglot yw **beic** Matthew.
Mae Diglot wrth ei fodd yn cael reidio yn y fasged!

Diglot's favourite toy is Matthew's **bicycle**.
He loves to ride in the basket!

Hoff degan Matthew yw ei gloddiwr. Mae Matthew wrth ei fodd yn gwneud pasteiod mwd drwy godi'r **pridd** yn bentwr!

Matthew's favourite toy is his digger. He loves to make mud pies by piling up the **soil**!

O na! Mae hi’n bwrw glaw **heddiw**.

Oh no! It is raining outside **today**.

Gyda phopeth yn wlyb, sut y gallan nhw chwarae ar y **cloddiwr** neu ar y beic?

How can they play on the **digger** or the bicycle when everything is wet?

Matthew druan. Mae'n meddwl nad yw'n bosib cael hwyl pan fydd hi'n **bwrw glaw**.

Poor Matthew. He thinks there is nothing fun to do when it is **raining** outside.

"Fe gei di fynd allan os gwnei di wisgo dy **esgidiau glaw**," meddai mam Matthew.

"You can still go outside if you put your **Wellington boots** on," says Matthew's mummy.

‘Beth yw esgidiau glaw?’ meddyliodd Matthew...

‘What are Wellington boots?’ thinks Matthew...

...mae’n mynd i fyny’r grisiau i chwilio yn ei **gwpwrdd dillad**.

...he decides to go upstairs to search in his **wardrobe**.

Mae'n gwisgo'r pâr cyntaf o esgidiau y mae'n eu gweld.

He puts on the first pair of shoes he finds.

Mae'r esgidiau hyn yn esmwyth a gwlanog, ac mae ei draed yn **gynnes** braf. Allwch chi ddyfalu pa fath o esgidiau ydyn nhw?

These shoes are soft and fluffy, and his feet are nice and **warm**. Can you guess what kind of shoes they are?

Wrth iddo fynd drwy'r drws, mae ei fam yn ei ddal. "Na, Matthew. Dy **sliperi** di yw'r rhain; rwyt ti'n gwisgo'r rhain yn y tŷ."

At the door, Matthew's mummy catches him. "No, Matthew. Those are your **slippers**; you wear those inside the house."

Mae Matthew yn mynd yn ôl **i fyny'r grisiau** i chwilio am ei esgidiau glaw.

Matthew goes back **upstairs** to find his Wellington boots.

Mae'n gwisgo esgidiau sy'n dangos bodiau ei draed, ac sy'n gwneud ei draed yn **oer.** Allwch chi ddyfalu pa fath o esgidiau ydyn nhw?

He puts on some shoes that show his toes and make his feet **cold**. Can you guess what kind of shoes they are?

"Na, Matthew, dy
sandalau di yw'r rhain.
Rwyt ti'n gwisgo'r rhain pan
fydd hi'n boeth y tu allan," meddai mam
Matthew wrth iddo gyrraedd gwaelod y grisiau.

"No, Matthew, those are your **sandals**.
You wear those when it is hot outside," says Matthew's mummy as he
reaches the bottom of the stairs.

Yn ôl yn ei ystafell wely, mae Matthew yn dod o hyd i esgidiau sy'n **ddu** a sgleiniog. Allwch chi ddyfalu pa fath o esgidiau ydyn nhw?

Back in his bedroom, Matthew finds some shoes that are **black** and shiny. Can you guess what kind of shoes they are?

"Aros!" gwaeddodd mam Matthew. "Dy **esgidiau** gorau di yw'r rhain, Matthew. Ar gyfer mynd i barti mae'r rhain. Cer i wisgo dy esgidiau glaw!"

"Stop!" cries Matthew's mummy. "Those are your smart **shoes**, Matthew. They are for parties. Go and put your Wellington boots on!"

O'r diwedd, mae Matthew yn dod o hyd i esgidiau gwahanol iawn yn ei gwpwrdd dillad.

Finally Matthew finds some very different shoes in his wardrobe.

POP!

Maen nhw'n esgidiau **tal** fel jiráff, ac yn anodd eu gwisgo!

They are **tall** like giraffes and very difficult to put on!

“**Da iawn**, Matthew. Dy esgidiau glaw di yw’r rhain.” Hwre!

“**Well done**, Matthew. Those are your Wellington boots.” Hooray!

Mae Matthew yn neidio drwy'r drws a glanio mewn **pwll** o ddŵr. SBLASH!

Matthew jumps out the door and lands in a **puddle**. SPLASH!

Mae'r esgidiau glaw yn cadw ei **draed** yn sych ac yn gynnes. Mae Matthew'n cael llawer o hwyl yn neidio ym mhob pwll dŵr y mae'n eu gweld.

The Wellington boots keep his **feet** dry and warm. Matthew has lots of fun jumping in all the puddles he can find.

Mae Matthew yn chwarae ar ei gloddiwr gyda Diglot, ac yn gwneud pastai **fwd** enfawr.

He even plays on his digger with Diglot and makes a great big **mud** pie.

Ond yn fuan, mae Matthew yn **dechrau** teimlo'n oer.

But soon, Matthew **starts** to get cold.

Mae'n rhedeg ar draws yr ardd yn ôl i'r **tŷ** cynnes braf.

He races across the garden to his nice warm **house.**

Yn y tŷ, mae mam Matthew yn rhoi cwpanaid o **laeth** poeth iddo er mwyn iddo gael cynhesu.

Inside, Matthew's mummy gives him a glass of hot **milk** to warm him up.

O na! Mae esgidiau glaw Matthew
wedi gadael olion traed mwdlyd ar y **llawr**.

Oh no! Matthew's Wellington boots
have left muddy footprints on the **floor**.

Mae Matthew yn helpu ei fam i lanhau'r llawr.
Yna, mae'n rhannu **bisgedi** gyda Diglot.

Matthew helps his mummy to clean up.
Then he shares some **biscuits** with Diglot.

Y **diwrnod wedyn**, meddyliodd Matthew y byddai'n hwyl neidio yn y pyllau dŵr eto.

The **next day**, Matthew thinks it will be fun to go jumping in puddles again.

Ond mae'r **haul** yn tywynnu, ac mae'r
holl byllau glaw wedi diflannu.

But the **sun** is shining and the
puddles have all disappeared.

Felly, mae Matthew yn cadw ei **esgidiau glaw**
nes bydd hi'n bwrw glaw eto...

So Matthew puts his **Wellington boots**
away until the next time it rains...